KB103595

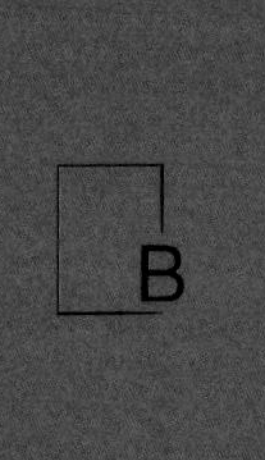

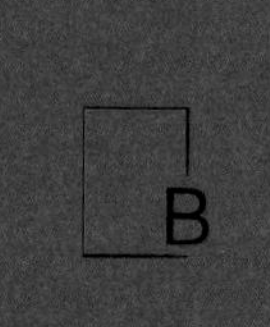

당신의 교육철학을

한 권의 책에 담아 드립니다

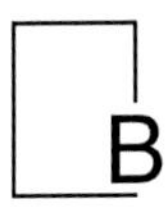

비사이드 북스

X

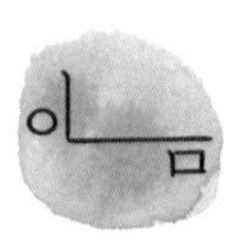

교육실천이음연구소

질문에 답하다

MH

차례

글쓴이 소개_

10 교사생활 20년을 6개월 앞에 둔
초등교사

|

14 나를 이루어 온 경험은 무엇인가요?

32 나는 교사로서 어떤 이야기를
만들어 왔나요?

48 내게 배운 학생들은
어떤 세상에서 살까요?

64 학교는 어떤 곳이 될 수 있을까요?

82 교사인 나를 둘러싼 환경은
어떠한가요?

100 교사로서 우리의 이야기를
어떻게 써 내려갈까요?

글쓴이

교사생활 20년을
6개월 앞에 둔 초등교사
|
MH

직업은 보람이 있어야한다며, 보람있는 직업 중에 초등교사를 선택했다. 하지만 20년 교사생활을 돌아보니 이리저리 치여 처음 기대했던 보람있는 교사생활을 하고 있진 못하고 있다. 그 사실에 좌절도 되지만 그래도 아직 학교를 떠나기까진 많은 시간이 남아있으니 다시금 힘을 내보고자 한다. 지금까지와는 조금 다른 방식으로, 좀 더 절실하게.

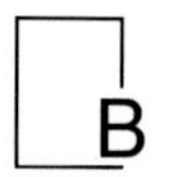

저자인 나와, 독자인 나는 시간을 두고 조금씩 달라집니다. 온전한 나를 소개하는 문장을 찾을 때까지 나에 대한 소개는 수시로 다시 쓰여져야 합니다. 그 부지런한 이해로 당신은 더욱 당신다워질 겁니다.

글쓴이

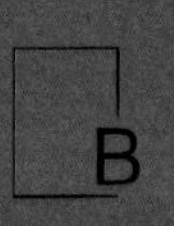

성장과정과 학생 시절의 경험, 특히
교직을 택한 경험을 되돌아봅니다.
자신이 의미를 두는 경험에서 얻은
성찰과 역량을 발견합니다.

그리고 그것이 어떻게 어우러져
지금의 나를 형성해왔는지
인식합니다.

나를 이루어 온 경험은 무엇인가요?

대화한 날_ 2023. 10. 11.

완성한 날_ 2023. 12. 4.

나를 이루어 온 경험은 무엇인가요?

처음 <나는 어디로부터 왔는가> 시를 읽은 후 나의 것을 생각했을 때는 딱히 떠오르는 것이 별로 없었다. 하지만 하나를 꺼내니 또 다른 것이 생각나고 또 하나를 생각하니 또 다른 것이 떠올랐다. 그동안 나에 대해 곰곰이 생각하고 묵상 해 본 적이 없으니 그랬겠다.

큰 사건뿐 아니라 사소한 것들이 다 나를 이루어왔다. 만들어왔다. 이걸 오늘 알게 됐다. 그냥 평범하기 이를 데 없는 사람, 소심했던 성격에 뭔가를 시도하고 도전했던 삶이 아니라 주저하고, 하고 싶어도 하고 싶다고 말 못 하고 마음으로만 후회했던 삶이라서 정말 별거 없는 삶이라고 생각했었는데 아니었다.

온갖 좋은 것들, 힘들었던 것들 모두... 시를 다시 읽고 생각하면서 그림책<대추 한 알>이 떠올랐다. 대추 한 알이 빨갛게 익어가기까지 저 혼자 붉어질 수 없고 저 혼자 둥글어질 리 없고 뜨거운 햇살, 천둥, 농부의 손길 등등으로 인해 대추가 익어간다는 그 말들이 떠올랐다.

어린 시절

나의 기본 천성도 그렇겠지만 무서우셨던 아버지로 인해 불안이 높았다. 무척 소심했고 타인에게 말 거는 것도 어려워했고 부끄러움이 많았다. 그래도 다행히 친구들과는 잘 지낼 수 있었다.

나를 이루어 온 경험은 무엇인가요?

나는 9살까지 시골에서 자랐다. 강에 가서 물놀이하고 지렁이 잡아서 낚시하고 깨진 그릇들 가지고 소꿉놀이하고 쑥 캐고 친구들과 즐겁게 뛰어놀았다. 자두나무와 복숭아나무, 그리고 아래에는 방아잎 있던 과수원에서, 넓은 운동장에서.

힘든 아버지로부터 자신을 헌신하여 우리 세 남매를 잘 돌봐주신 우리 어머니. 비 오는 날 해주셨던 간식이 귀했던 시절의 도넛, 시험 못 쳐 낙심한 나를 위해 해주셨던 짜장 잡채밥.

중고등학교 시절

초, 중, 고, 대학교 16년의 학교생활은 대체로 즐거웠다. 그 중 초등학교 5학년 때 담임 선생님이셨던 하태호 선생님, 중학교 2 ,3학년 김정미, 안병태 선생님, 고2, 3 담임이셨던 박래철 선생님이 기억에 남는다. 아주 즐겁고 의미 있는 시간으로 기억한다.

학생이었던 나는 소심하였지만 그래도 적은 수의 친구들과 꽤 깊게 사귀면서 즐겁게 학교생활을 했다. 공부도 그럭저럭하는 편이었고 친구들과 도서관도 하고 독서실도 다니면서 공부도 하고 놀기도 했다. 학교생활이 나에게 싫지 않았기에 나는 교사라는 직업을 선택할 수 있었을 것이다. 좋은 선생님도 경험했었기에 진로에 대해 고민하다가 티브이에서 나오는 멋진 섬의 선생님의 모습을 보고 나도 그런 선생님이 되고 싶다고 결심하게 되었다.

또한 중고등학교 시절, 교회에 열심히 출석하고 또 어찌하다 보니 중학교, 고등학교 때 좋은 친구들을 만나서 교회에서 중창단 활동도 하고 성가대도 하면서 집-학교만이 아닌 곳에서 여러 대외적인 활동도 할 수 있었다. 무서웠던 아버지, 술을 한번 마시기 시작하면 며칠을 드셔서 우리는 아버지의 술병을 숨기기도 하고 술에 물을 타기도 하고, 동네 슈퍼에서 술 마시고 계시는 아버지를 모시러 가야 할 때가 많았다. 여러 가지로 정말 힘든 상황

이었지만 교회 활동을 친구들과 나름 재미있게 하면서 삐뚤어지지 않고 잘 지내왔다.

그 시절에는 <키다리 아저씨>를 읽고 주인공 주디에게 말하는 식으로 일기를 한참 썼다. 아빠에 대한 원망도, 좋아하는 친구에 대한 얘기도, 온갖 것들을 쓰면서 마음을 풀었다.

대학 이후

울산을 떠나 청주에서 하게 된 대학 4년. 나랑 비슷한 친구와 절친 되어 가마솥 통닭을 한 마리씩 먹고 친구들 자췻집에서 음식 만들어 먹던 시절. 3학년까지는 생활비가 부족하여 빈부의 차이를 그때 확 느꼈다. 4학년 때부터는 고맙게도 교사가 된 언니가 생활비를 넉넉하게 보내주어서 맘 편히, 내 수준에서는 풍족히 지낼 수 있었다. 교생 실습 하면서 나를 좋아해 주는 아이들을 보고, 또 수업 준비를 잘 했을 때의 반응을 보면서 교직이 내 길이 맞는지에 대한 고민을 끝낼 수 있었다.

졸업 후 울산으로 임용을 쳐서 다시 돌아온 집.

나에 대한 아버지의 간섭은 없어졌지만, 여전히 아버지는 술을 연속으로 드실 때가 많아 엄마와 나는 술병을 숨기기도 하고 술 드시러 가는 아버지를 막아서다가 맞기도 했다. 그래서 퇴근 후에 집에 들어가기 싫을 때가 많았다.

발령 동기 중 또래가 나 포함 4명. 지영, 소영, 영매, 나. 친하게, 재미나게 지냈다. 서로 생일도 챙겨주고 맛있는 것도 먹고 농구 보러도 같이 가고. 울산현대모비스. 참 즐겁게, 부지런히 다녔다.

교회 청년부 모임은 결혼 전까지 참으로 재밌었다. 우리 동기들과 수시로 차 마시고 수다 떨며 자유를 만끽했다.

결혼 후 육아를 하면서 함께 아이들을 위해 애쓰고 함께 기도 했던 두드림 모임.

누가 나를 이렇게 무한히 사랑해줄까 하는 마음을 갖게 했던, 동시에 내 내면의 밑바닥을 알게 해준 나의 아들과 딸. 세상에 뜻대로 안 되는 것이 많다는 것을 알려주고 나의 오만과 교만을 깨주고 있으며 겸손하게 해주고 있다.

위에서 나열하지 않았지만, 지금까지 지내오면서 나에게 많은 깨달음을 주었던 영화, 드라마, 책들.

시부모님들의 배려, 구역식구들의 기도, 동학년 선생님들의 격려. 우리반 아이들의 편지, 사랑한다는 표현. 학부모님들의 고맙다는 문자들.

나는 가볍고 별거 없는 사람이란 생각도 많이 들었는데 지금의 내가 있기까지 참 많은 사람과 함께 엮여 왔었고 많은 일들이 있었다. 많은 관심과 사랑을 받아왔다. 아픔도 많았고 내가 나 스스로를 더 아프게 한 것들도 많았다. 어쨌든 그 모든 것들이 지금의 나를 이 자리에, 이 모습으로 이끌어왔다.

그러다 문득 우리 아이 또한 그러하겠구나, 우리 반 아이들 또한 그러하겠다는 생각이 들었다. 아이들이 경험하는 크고 작은 모든 것들로 아이들의 내면이 채워져 가겠구나. 나의 말과 행동, 표정이 아이의 내면에 어떤 의미로 채워질까?

내가 해마다 맡게 되는 아이들 또한 나와 함께한 1년 동안 크고 작은 경험들로 채워져 갈 것이다. 아이들 성장에 적어도 해가 되지는 않는, 이왕이면 성장에 보탬이 되는 경험을 할 수 있도록 이를 잊지 않고 신경 써야겠다.

그리고 나의 삶 또한 좀 더 나를 위해 좋은 것으로 채우도록 해야겠단 생각이 든다.

나를 이루어 온 경험은 무엇인가요?

"그러다 문득

우리 아이 또한 그러하겠구나,

우리반 아이들 또한

그러하겠다는 생각이 들었다.

아이들이 경험하는

크고 작은 모든 것들로

아이들의 내면이

채워져 가겠구나.

나의 말과 행동, 표정이

아이의 내면에

어떤 의미로 채워질까?"

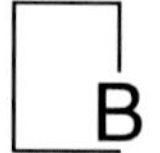

당신은 이 글의 저자인 동시에 독자입니다. 저자인 나와 독자인 나는 만날 때마다 새로운 이야기를 만들어 갑니다. 지금 이 글을 읽는 당신의 생각을 여기에 더해보세요. 그것은 내 손을 떠난 글에 새로운 생명과 생기를 불어넣는 일입니다.

나를 이루어 온 경험은 무엇인가요?

나를 이루어 온 경험은 무엇인가요?

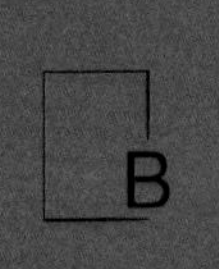

과거의 생애로 형성된 가치관이
교직에 들어선 후 수업, 학생,
학부모, 학급, 동료교사 혹은
교사공동체에 어떤 영향을 주어
왔는지 되돌아봅니다.
그 중에서 지금 자신의 교육에 대한
생각과 역량에 영향을 준 경험을
짚어봅니다. 그리고 그것이 어떻게
지금의 나를 형성해왔는지
인식합니다.

나는 교사로서
어떤 이야기를
만들어 왔나요?

대화한 날_ 2023. 10. 18.

완성한 날_ 2023. 12. 4.

나는 교사로서 어떤 이야기를 만들어 왔나요?

고2 때 티브이를 보다가 섬마을 선생님이 나오는 드라마를 보았다. 아이들을 열정적으로 가르쳐서 아이들의 성장을 돕는 멋진 초등학교 선생님의 이야기였다. 그것을 보는 순간 '그렇지. 직업은 보람이 있어야지.'라는 생각이 들었고 초등학교 선생님으로 나의 진로를 정했다.

참 멋모르고 시작했던 교단생활이었다. 교대에서 교생실습을 했지만, 그것은 정말 맛보기에 지나지 않았다. 멋모르면서도 잘 준비하지 않아서 헤매었던 신규시절... 떠드는 아이들, 장난꾸러기 아이들을 어떻게 훈육해야 하는지도 몰라 소리만 지르고 교탁을 내리치기만 했던 그때... 나도 참 힘들었지만, 그 시절 반 아이들도 얼마나 힘들었을까...

다행히 좋으신 동학년 선생님들과 좋은 발령 동기들 덕분에 조금씩 조금씩 배워가며 나아져 갔던 것 같다. 신규 때 4년 차 선생님들을 우러러보며 "나도 4년 차가 되면 저렇게 될 수 있는 건가?" 하며 희망을 품었던 기억이 난다.

<무명 교사에 대한 예찬>이라는 글을 읽었다. 무명의 교사는 드러난 영광은 없어도 학생들을 바르게 이끌기 위해 애쓰는 사람이다. 세상을 열어가는 사람들은 유명한 교육 관련 전문가가 아니라 무명의 교사이고 무명의 교사들은 잠겨있는 아이들의 세상을 여는 열쇠를 다

듬어 왔다고 하는데 나는 과연 지금까지 어떤 열쇠를 준비해 왔을까? 나는 무엇을 가지고 있을까?

종이접기를 배우면 아이들에게 도움이 될 것 같아서 문화센터에서 종이접기 3급 자격증도 따고 종이꽃 만드는 것도 배우러 다녔다. 두 번째 학교에서는 선생님들과 오후에 서예 선생님을 따로 모시고 서예를 배웠다. 한창 POP가 유행일 때는 그것도 배우러 다녔다. 뭔가 겉으로 보이는, 기능적인 것을 배우러 다녔다. 그리고 교육 관련 좋은 책이 있다고 소개 받으면 혹시 읽고 보탬이 될 수 있겠다는 기대로 구입했다. 동기의 수업 대회를 도우면서 수업자료 만드는 것도 조금 배울 수 있었다. 여러 원격연수를 통해 이것저것 배우기도 했다. 아이를 낳고서는 구연동화 하는 것을 배웠다. 색동회에 가입하고 그림책을 읽어주는 봉사도 하고 짧은 아동극을 하기도 했다.

미혼일 때는 수업 준비 등이 덜 부담스러웠던 것 같다. 젊어서였을까... 그냥도 했던 것 같다. 젊어서인지 아이들도 잘 따라와 주었고 크게 부딪히는 아이들도 별로 없었다.

결혼하고 아이를 낳고는 처음엔 학교의 아이들이 더 귀하게 여겨졌다. 이 아이들도 내 아이처럼 참 소중한 아이들이지... 한편으론 친구들을 힘들게 하는 아이들이 더 밉게 여겨지기도 했다. 하지만 그 마음들이 그리 오래가지는 못하고 참 많이도 허둥거렸다. 집안일도 육아도 학교 일도... 그 어느 것 하나 잘하지 못했다. 그리고 학교에서는 집 생각, 집에서는 학교 생각하며 생각을 분리하지 못하고 학교도 집도 하루하루 수습하며 대충 때우며 살아왔다. 그러다 보니 성장은 없고 경력이 꽤 되었음에도 교과면 교과, 업무면 업무 뭐하나 전문적으로 잘하는 것이 없다는 생각이 든다.

경력이 적을 때는 경력이 많아질수록 절로 전문성이 갖춰 질거라 생각하고 나이 들어 갈수록 점점 더 여유 있을 거라 기대했는데 그렇지 못했다. 저절로 되는 것이 아니었다. 많은 업무, 사회 분위기 탓도 있지만 나 스스로는 차근차근 고민하며 하나하나 이루어오지 못한 나의 게으름이라는 것을 안다. 나의 것으로 만들어가지 못하고 다른 사람들의 아이디어를 단편적으로 가져와 사용하고 끝. 전체를 바라보며 미리 계획하지 않고 그냥 닥치는 대로 눈앞의 수업을, 일들을 처리하기 바빴다.

그나마 조금 전문성을 갖춘 부분이 있다고 위안하는 것은 문해력 부분이다. 2019년 1학년을 하면서 한글을 모르는 아이를 붙잡고 이리저리 가르쳐보았지만 발전이 없어서 난감했던 그때, <읽기 따라잡기>연수를 접하게 되었다. 기초, 기본과 심화 과정을 거치면서 읽기를 통해 읽기를 배우고, 쓰기를 통해 쓰기를 배우는 이 연수를 통해 글을 잘 못 읽는 아이들에게 글 읽기와 쓰기를 가르칠 수 있게 되었다. 그 이후 연구회에 가입하여 연구회 선생님들과 수준 평정 그림책도 만들고 수업도 공유하면서 서로 배웠다. 연구회 활동을 통해 읽고 쓰지 못하는 아이들에 대해 안타까이 여기는 선생님들의 열정을 보고 배웠다. 2022년 채움교사의 기회를 얻게 되어 1년간 한글을 못 읽고 쓰는 아이들을 집중적으로 지도하시는 시간도 가질 수 있었다. 하지만 여기도 아쉬움은 또 있다. 이렇게 좋은 기회에 좀 더 관련 책도 읽었더라면 더 좋았고 아이들 수업한 동영상을 다시 복기해 보면서 내 수업을 좀더 살펴보았더라면 지금 더 전문가가 되었을 텐데 그렇지 못해서 자신 없는 부분들도 아주 많기 때문이다.

정서적인 부분에서 나는 어떤 교사였는지 생각해 본다. 나는 아이들과 잘 뛰어다니면서 논다. 우리 집 아이들과 뛰어놀던 습관 때문인지는 모르겠지만 운동장에서 아이들과 여러 놀이를 하면서 잘 뛰어놀 수 있다. 아이들은 친구들과 어울려 즐겁게 노는 게 중요하다고 생각하기 때문에 지금도 바깥 놀이 시간은 꼭 확보한다. 그래서 그 부분은 아이들이 자유롭게 다양한 놀이를 하면서 즐거워하는 것 같다.

그리고 나와 내 아이가 내향적이고 소극적인 탓에 그런 아이들을 보면 좀 더 지지해 주려고 애쓴다. 괜찮다고 말해주고 기회를 좀 더 주기 위해 애쓴다.

물론 내 기분에 따라 감정조절을 잘 못해서 아이들을 과하게 혼낼 때도 있었다. 관심을 바라는 아이에게 부담을 느껴 모르는 체할 때도 있었다.

나는 교사로서 어떤 이야기를 만들어 왔나요?

참 돌아보니 여러모로 부족함이 참 많았다. 그런데 어떻게 여기까지 왔을까? 그건 나의 부족함에도 불구하고 나를 좋아해 주고 나에게 고마움을 표현해 준 아이들, 너그럽게 받아주시고 도와주신 많은 동료 선생님, 참아주신 학부모님들 덕분이 아닐까 싶다.

나는 이상은 높았지만 참 게을렀다.

그 이상을 실현하기 위한 끈기와 노력이 부족함을 계속 느꼈고 지금도 느끼고 있다. 이제 남은 교직 생활은 정년까지 채운다고 생각하면 15년 정도일 텐데 남은 이 긴 기간을 지금까지처럼 보내서는 안 되겠다. 나는 지금 신규교사가 아니라 20년 경력을 넘어가는 중견 교사니까. 무엇보다 나 스스로가 매번 아쉽고 후회되고 부끄러워서 안 되겠다.

아이들의 세상을 열어줄 열쇠가 참 부실함을 인정하고 지금이라도 내가 가진 열쇠가 녹슬지 않도록, 아이마다 다른 자물쇠를 열어줄 수 있는 마스터키가 되도록 조금씩 차근차근 노력해야겠다.

"아이들의 세상을 열어줄 열쇠가
참 부실함을 인정하고
지금이라도 내가 가진 열쇠가
녹슬지 않도록,
아이마다 다른 자물쇠를
열어줄 수 있는
마스터키가 되도록
조금씩 차근차근
노력해야겠다."

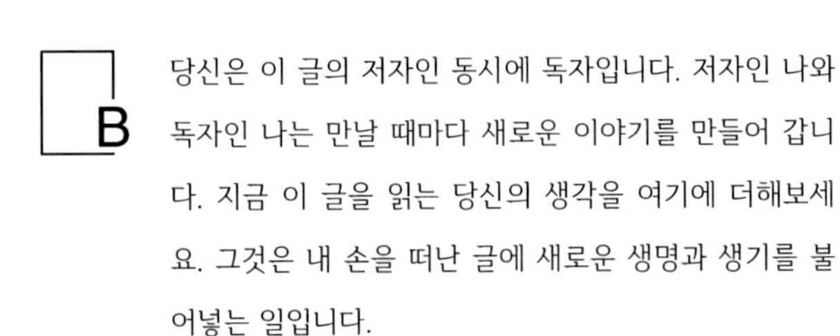

당신은 이 글의 저자인 동시에 독자입니다. 저자인 나와 독자인 나는 만날 때마다 새로운 이야기를 만들어 갑니다. 지금 이 글을 읽는 당신의 생각을 여기에 더해보세요. 그것은 내 손을 떠난 글에 새로운 생명과 생기를 불어넣는 일입니다.

나는 교사로서 어떤 이야기를 만들어 왔나요?

우리 사회가 어떠한 곳이 되기를
바라는지 생각해봅니다. 정치, 경제,
문화 등 사회의 각 영역에 대한
관점에 영향을 준 일들을
짚어봅니다. 그를 통하여 어떤
가치관을 형성해 왔는지
성찰합니다. 그에 비추어 현재
우리 사회의 모습을 볼 때 발견하는
괴리를 인식합니다.

내게 배운 학생들은
어떤 세상에서 살까요?

대화한 날_ 2023. 10. 25.

완성한 날_ 2023. 12. 4.

내게 배운 학생들은 어떤 세상에서 살까요?

현재 우리 사회에서 일어나고 있는 일 중에서 가장 염려되는 점은 무엇인가?

나는 걱정되는 것이 무척 많다. 원전에서 흘러나오는 방사성 물질, 각종 환경문제, 공정하지 않고 정의롭지 못한 사회, 지나치게 다양성, 자유를 강조함으로 인한 혼란 등등… 다른 선생님들의 이야기를 들어보니 빈부격차, 사회 전반에 가득한 무기력함, 희망 없는 사회도 문제였다.

내가 걱정하는 부분들을 나는 교실에서 어떻게 가르치고 있는가?

이 질문을 받으니, 허를 찔린듯했다. 이래서 문제야, 저래서 문제야 하면서도 정작 그 문제들을 개선해 보고자 노력해 보지 않고 있었다. 아니, 이런 생각을 할 생각을 못했다. 내 개인의 삶에 바빠서 이런 고민을 하지 않고 살았다. 다른 선생님들과도 이런 대화를 나눠본 적도 없었다. 나도 주위 선생님들도 '해도 안 돼. 현상 유지만 해도 다행이야.' 라는 생각 속에 무기력하게, 그냥 하루하루를 수습하며 살아왔다.

내가 가르치는 아이들은 어떤 세상에서 살았으면 좋겠는가?

공정하고 정의로운 세상, 과도한 경쟁이 없어서 좀 맘 편히 살 수 있는 세상, 빈부격차가 적은 세상, 깨끗한 환경을 가진 세상. 너무 완벽한 세상이다.

또 다른 선생님들의 이야기를 함께 나누고 나서 리더 선생님께서 우리의 행복의 기준이 참 높다고 하셨다. 그러면서 이 얘기, 저 얘기가 나오는데 다른 외국의 경우는 참 여유롭고, 우리처럼 쫓기듯 너무 열심히 살지 않아도 잘 사는데 우리는 그렇지 못하다고 얘기를 했다. 어떻게 행복해지고 만족할 수 있을까? 그러다 건강한 내면을 가진 사람이 되면 그럴 수 있겠다는 생각이 들었다. 우리가 자기의 삶에 만족한다면 사회가, 환경이 좀 부족하더라도 행복할 수 있을 것이다. 남과 비교하지 않고 자신의 가진 것에 만족하고 자족할 수 있는 건강한 내면. 모임의 한 선생님이 집을 비유로 말씀해 주셨다. 집이 자가이면 5평이든 100평이든 내가 살 집이 있음에 행복하면 그만이다. 혼란스러운 사회에서 자신을 잘 지키면서 자신을 사랑하고 타인을 존중하는 건강한 내면을 가졌으면 좋겠다.

좋은 세상을 만들어가는 것도 중요하지만 그 세상 속에서 살아가는 개인이 건강한 내면을 갖추었다면 그 세상은 좋은 세상이 될 것이다.

(지금까지는 못했지만) 나는 앞으로 교실에서 어떤 것을 해볼 수 있을까?

내가 가르치는 아이들이 건강한 내면을 가진 어른이 되도록 나는 무엇을 해볼 수 있을까? 교실이 좋은 공동체가 되도록 해야 한다. 서로의 허물을 보듬어주고 이해해 주고 서로의 성장을 도와주는 그런 교실이 되도록 계획하고 준비하고 만들어 가야 한다. 실패를 두려워하지 않고 용기 있게 시도해 볼 수 있는 공동체, 자기 효능감을 가질 수 있는 공동체, 책임감을 가지고 반에 기여하는 공동체가 되도록 해야 한다. 그리고 세상의 평균에 맞춰 따라가는 것이 아닌 자신만의 고유함을 찾아가도록, 스스로 만족하도록 도와야겠다.

무엇보다 내가 먼저 그런 어른이 되도록 노력해야 한다. 그런 완벽한 어른은 되지 못하더라도 적어도 노력하고 애쓰는 모습을 보여주자. 건강한 내면을 가진, 학생들이 의지할 만하고 믿을만한 어른이 되자. 아이들을 바라보는 내 시선 또한 왜곡되지 않고 건강해야 한다. 있는 모습 그대로 귀하게 여겨야겠다. 나 또한 그런 어른이 되려면 건강한 좋은 공동체에 소속되어야 할 것이다. 교사 공동체, 신앙 공동체 등 나를 있는 그대로 아껴주고 받아주는 공동체, 실수해도 괜찮다 말해주는 공동체, 같이 고민을 나눌 수 있는 공동체, 서로가 서로에게 배울 수 있는 공동체에 속하고 그 공동체 안에서 함께 성장하도록 해야겠다.

교실에서 어떤 구체적인 활동들을 통해 이것들을 이루어갈 수 있을까?

감사 일기 쓰기가 좋다고 하는 선생님도 계신다. 좋은 그림책이나 책을 읽어주는 활동을 꾸준히 하는 것이 좋다는 분도 계신다. 자기표현을 잘할 수 있도록 글쓰기를 꾸준히 하는 것도 좋겠다. 1인 1역을 정해서 학급에 기여하는 활동을 하도록 하는 것도 좋을 것 같다. 친구를 칭찬하는 코너를 마련하거나 칭찬 샤워 활동도 좋을 것 같고...

좋은 방법들은 아주 많다. 하지만 아무리 좋다고 해도 그것들을 다 할 순 없다. 내가 즐겁게 잘할 수 있는 것도 있고 나에게 잘 맞지 않는 것도 있을 것이다. 다른 선생님들이 좋았다고 해서 이것저것 많이 두서없이 하기보다는 한두 가지를 꾸준히, 끝까지 하는 것이 훨씬 효과적일 것이다. 실행하면서 문제점이 있으면 보완, 수정해 가면서 나만의 것으로 체득해 나가야 할 것이다.

그리고 학생들에게 나의 비전, 우리 학급의 비전을 알리는 것도 좋겠다. 함께 만들어가는 것이므로. 방법적인 것은 좀 더 고민을 해봐야겠다.

"좋은 세상을

만들어가는 것도 중요하지만

그 세상 속에서

살아가는 개인이

건강한 내면을 갖추었다면

그 세상은

좋은 세상이 될 것이다."

당신은 이 글의 저자인 동시에 독자입니다. 저자인 나와 독자인 나는 만날 때마다 새로운 이야기를 만들어 갑니다. 지금 이 글을 읽는 당신의 생각을 여기에 더해보세요. 그것은 내 손을 떠난 글에 새로운 생명과 생기를 불어넣는 일입니다.

내게 배운 학생들은 어떤 세상에서 살까요?

내게 배운 학생들은 어떤 세상에서 살까요?

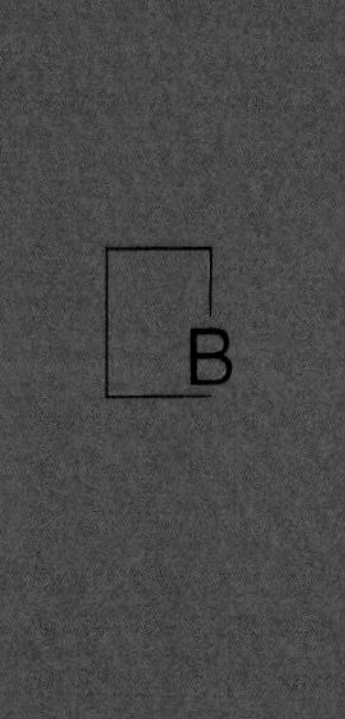

우리 교육이 마땅히 그러하길
바라는 모습을 상상해봅니다.
교육에 대한 자신의 철학을
형성하게 한 일들을 되짚어봅니다.
그를 통하여 어떤 교육철학을 갖게
되었는지 성찰합니다. 현재 우리
교육이 가진 괴리를 인식합니다.

학교는 어떤 곳이
될 수 있을까요?

대화한 날_ 2023. 11. 1.

완성한 날_ 2023. 12. 4.

학교는 어떤 곳이 될 수 있을까요?

처음 여는글<아직 그리고 여전히 오지 않을 미래>를 읽었을 때는 마음이 답답하고 좀 막막했다. 미래를 마주한 두 교사 중 나는 Y교사. 시대의 흐름에 따라가지 못하는, 미래를 적극적으로 손수 만드는 사람이 아니라 수동적이고 변화에 있어서 방어적인 태도를 갖고 있는 교사이기 때문이다.

하지만 소그룹 모임에서 선생님들과 주제가 어렵다 얘기하면서도 머리 속에 있는 이것저것들을 서로 주고 받다 보니 막막했던 마음이 점점 사라지면서 맑아지고 시원한 마음이 들었다.

미래교육하면 떠오르는 것은 주로 인공지능, 디지털 같은 과학기술의 발전으로만 주로 생각했었다. 그래서 내가 그런 기술 등에 대한 지식이 적고 원격수업을 할 때도 그렇고 이런 능력이 부족하니 뭔가 부족한 교사로만 느껴졌었다. 그런데 얘기를 나누다보니 미래교육에서 중요한 것은 계속 변화하는 기술이 아니라 변치 않는 가치라는 것을 깨닫게 되었다. 나는 학교가 사회의 변화 속도만큼 못 따라가고 제일 느리다고 생각했는데 다른 선생님께서 학교는 그만큼 중요한 가치를 가르치기 때문에 느릴 수 밖에 없을 것 같다고 말씀해주셨다. 이 말을 포함하여 여러 선생님들의 얘기를 들으면서 미래를 좀 편안하게 바라볼 필요가 있다는 생각을 했다. 그렇다. 교육은 시대의 흐름을 뒤따라 가는 것이 아니라, 빠른 속도로 발전해가는 과학기술을 바로 바로 배워 학생들에게 가르쳐 주는 게 주가 아니라 시대의 흐름을 학생들에게 안내해주면서도 변치 않는 가치와 역량을 가르쳐야하는 것이다. 미래에도 변하지 않는 여전히 중요한 가치와 역량을.

미래 아이들이 갖추어야 할 중요한 가치와 역량은 무엇일까?

나는 미래 아이들이 갖추어야 할 중요한 가치와 역량으로 나와 다른 사람들과 함께 조화롭게 어울려 사는 능력을 가장 중요하다고 생각했다. 사람은 혼자 살 수가 없다. 그래서 나와 비슷한 사람과도, 나와 아주 다른 사람과도 서로 의지하고 협업하며 살 수밖에 없다. 그런데 나와 다른 사람들과 매번 충돌하고 자기 뜻대로만, 나 자신이 원하는 대로만 살아가려면 결국 혼자 고립될 수 밖에 없다. 다른 사람들과 조화롭게 어울려 살아가는 능력을 가지려면 자존감이 있어야 하고 타인을 존중하는 마음을 가져야 한다.

그리고 자기 표현능력을 길러야 한다. 나와 생각이 다른 이들과 서로 대화하고 타협을 하기 위해서는 말이

든, 글이든 자신의 생각을 분명하게 표현할 수 있어야 한다. 타인이 내 뜻만 따라서도 안되고 내가 타인의 의견만 따라서도 안되기 때문에 서로가 자신의 생각, 원하는 바를 분명히 전할 수 있어야하고 타인의 생각과 원하는 바를 잘 경청하여 합의에 도달 할 수 있어야 한다.

또한 자기관리 능력이 있어야 한다. 성인이 되어 부모님 곁을 떠나 독립하게 될 우리 아이들이 스스로 자신의 삶을 살아가야 하기 때문이다. 자기 주변 정리를 하고 해야 할 것을 계획하고 건강을 챙기는 등등을 이제 자신이 다 해나가야 하기 때문이다.

마지막으로는 변화에 적응할 수 있는 능력이다. 미래는 현재보다 더 빠른 속도로 변화한다. 현재도 코로나로 인해 갑자기 몇 년 후에나 시도할 것 같았던 원격수업을 하게 되었다. 우리 학생들이 살아갈 미래 또한 그럴 것이다. 이런 변화를 두려워해서 계속하던 대로만 하려고 하면 도태될 것이기에 이런 변화에 유연하게 대응하고 적응할 수 있는 능력이 필요하다.

학교는 어떤 곳이 될 수 있을까요?

미래사회에서 학교는 어떤 역할을 해야할까?

학교가 늦게 변하지만 학교는 그만큼 변하지 않는 중요한 것들을 가르치기 때문에 꼭 그 속도를 따라갈 필요는 없다. 수많은 새로운 기술 중에서 취사선택하여 그것을 잘 활용하는 경험을 하게 해주면 된다. 또한 기술을 바르게 잘 활용하는 방법을 알려주면 된다. 기술을 빨리 따라가지 못한다고 조급할 필요는 없다. 아무리 뛰어난 기술을 가지고 있더라도 그것을 잘못된 곳에 사용한다면 사회 혼란을 초래하기 때문에 내가 가진 기술을 올바르게 사용할 수 있도록 바른 가치관을 기를 수 있도록 학교는 도와야 한다.

이를 위해 우리가 소모임에서 많은 이야기를 나누면서 결론에 도달해 보는 이런 경험도 학교에서 꼭 필요하다. 학교 구성원들이 모여서 학생들을 위해 필요한 교육이 무엇인지, 학교에서는 이를 위해 어떤 것을 함께 준비해야 하는지 합의점을 도출해야 한다. 그래서 학교 전체가 함께 추구하는 교육의 방향이 같아야 한다. 학급마다 담임에 따라 특색은 있어야 하겠지만 함께 추구하는 가치, 방향은 같아야 한다고 생각한다.

그런데 지금 학교에서는 이런 얘기들을 나누지 않는다. 아이들에게 어떤 부분의 성장을 도와줄지에 대해. 미래 사회가 이러하니 우리는 아이들에게 이런 것을 좀 더 가르쳐야겠다, 아이들을 위해 ~~을 해보자 라는 이런 시도도 하지 않는다. 이런 나눔, 회의를 하지 않는다. 그러니 늘 하던 대로 한다. 왜일까? 우리에게 많은 책임이 부여되고 교권이 보호되지 못하고, 할 일이 너무 많아서 너무 바쁘고. 해도 안 될 거라는, 안 바뀔 거라는 무기력함이 원인인 것 같다. 나부터도 달라져야 할 것 같지만 나 또한 하루하루 수습하며 살아가고 있는 처지라 부끄럽기 그지없다.

나는 우리 학급에서 어떻게 중요한 가치들을 실현할 수 있을까?

나는 우리 반 학생들이 다른 사람들과 함께 조화롭게 어울려 사는 능력, 자존감, 타인을 존중하는 마음, 자기 표현능력, 자기관리, 변화에 적응할 수 있는 능력 등을 갖도록 어떻게 도울 수 있을까?

일단 내가 아이들의 모범이 되어야 할 것이다. 아이들이 갖추기를 바라는 가치와 역량을 내가 먼저 가져서 아이들에게 보여주어야 한다. 아이들을 존중해 주는 내 말과 행동, 거칠지 않게 아이들을 훈육하는 내 모습, 성실하게 수업을 준비하여 열심히 하는 내 모습 등.

그리고 자기 표현능력을 기르기 위해 아이들의 문해력을 길러주어야 한다. 책을 꾸준히 읽고 글로 생각을 표현하는 것을 매일 조금씩 함께 한다면 아이들의 생각의 폭이 넓어지고 어휘가 좋아져서 자기의 생각을 잘 표현할 수 있게 될 것이다.

그리고 아이들 사이에 갈등이 생겼을 때 항상 그럴 순 없지만 가끔은 아이들과 주어진 갈등 상황에서 현명한 해결 방법은 무엇인지 같이 토의와 토론을 하는 시간도 필요할 것 같다. 그러면서 아이들을 배워갈 수 있을 것이다.

그리고 자기 주변 정리는 자신이 할 수 있도록 수업 시작 전이나 하교 전에 함께 점검하면 좋을 것이다.

그런데 이렇게 적다 보니 너무 이상적이다. 내가 이걸 다 할 수 있을까? 지금도 수업과 업무만으로도 허덕이는데...

나는 당연히 내가 위에 적은 것을 완벽히 다 해낼 수는 없을 것이다. 그래도 적어도 이것을 늘 생각하면서 산다면 지금까지와는 조금 다른 교사가 되진 않을까?

미래 교육...별거 아니다.

기술 발전 속도에 연연하지 말고 변치 않는 가치와 역량에 집중하며 내 길을 만들어가자.

기술이 아무리 발전해도 결국 중요한 것은 가치와 역량이다.

“미래교육에서

중요한 것은 계속

변화하는 기술이 아니라

변치않는 가치라는 것을

깨닫게 되었다."

당신은 이 글의 저자인 동시에 독자입니다. 저자인 나와 독자인 나는 만날 때마다 새로운 이야기를 만들어 갑니다. 지금 이 글을 읽는 당신의 생각을 여기에 더해보세요. 그것은 내 손을 떠난 글에 새로운 생명과 생기를 불어넣는 일입니다.

학교는 어떤 곳이 될 수 있을까요?

학교는 어떤 곳이 될 수 있을까요?

우리 사회와 교육이 가지길 바라는
모습을, 나의 차원에서 실현하기에
주변 환경이 어떠한지 살펴봅니다.
자신의 교육철학을 이루기에
도움이 되는 환경과 제약이 되는
환경을 짚어봅니다.

교사인
나를 둘러싼 환경은
어떠한가요?

대화한 날_ 2023. 11. 8.

완성한 날_ 2023. 12. 4.

교사인 나를 둘러싼 환경은 어떠한가요?

학교는 바다인가?

교실은 폐쇄적이려면 한없이 폐쇄적이다.

다른 선생님들은 내 교실을 잘 모른다. 내가 어떻게 수업하고 아이들과 어떤 식으로 관계를 맺어가는지. 나도 마찬가지다. 다른 분들이 어떻게 수업을 하고 어떻게 아이들과 관계를 맺어가는지 모른다. 서로 공개하지 않고 나누지 않으면 알 수가 없다.

교실은 그 교실을 맡고 있는 교사의 역량에 따라 좌우된다. 그런데 교사 한 사람이 처음부터 완벽할 순 당연히 없다. 그러기에 그 어떤 공동체보다 더 열려있고, 개방적이어야 한다.

학급 운영을 잘하시는 선생님들, 수업을 잘하시는 선생님들의 수업 과정을 보고 싶을 때가 많다. 보고 배우고 싶을 때가 많다. 그런데 나부터도 수업 공개는 두렵고 꺼려진다. 바쁘기도 바쁘다.

교사인 나를 둘러싼 환경

요즘 학교에서 교사는 무기력하다. 뭔가 용기를 내어 얘기하기가 두렵다. 학부모에게 아이의 문제에 대해 솔직하게 얘기하기가 정말 조심스럽다. '혹시 학부모가 받아들이지 않고 화를 내면 어떡하지? 괜히 긁어 부스럼 만드는 거 아닌가? 그냥 말아야겠다.' 다른 반에 대해서도 크게 관심 없다. 그냥 1년동안 내가 맡은 학급에서 사건·사고가 최대한 일어나지 않기를 바라며 학급을 운영한다.

교사인 나를 둘러싼 환경은 어떠한가요?

이건 아니지 싶은데...

지금의 학교는 전체적으로는 편안한 분위기다.

관리자들은 인격적이고 자신들의 이름을 위하여 굳이 무리해서 일을 벌이지 않으신다. 힘들어하시는 선생님들이 계시면 안타까이 여겨 주신다. 하지만 2% 조금 아쉽다. 어찌 보면 당연할 수 있겠지만 적극적으로 소매 걷고 적극적으로 문제해결에 나서진 않으신다. 본인들의 안위를 먼저 생각하셔서 몸을 사리신다.

선생님들도 다 무난하시다. 각자의 역할을 잘하고 계신다. 우리 동학년 또한 다 좋다. 서로 돕는다. 못하겠다, 하기 싫다 하지 않고 같이 잘해 나가고 있다. 수업 자료 공유도 서로 잘 한다. 하지만 허전하다. 좀 더 수업을 공유하고 싶고 배우고 싶다. 물론 나도 내 수업을 공유하는 것이 부담스럽고 잘하는 수업이 아니면 공개 안 하고 싶으면서도 실은 수업 공개가 교사들에게 있어서는 아주 중요한 것이 아닌가 하는 생각이 든다. 동료 장학도 실제로 하기 어렵다.

학교는 동학년끼리는 가깝지만 그 외 교사들과는 몸과 마음의 거리가 멀다. 코로나 이후 더 그런 것 같다. 한명 한명의 교사가 다 섬 같기도 하다. 학급에 어려운 일이 생겨도 동학년끼리는 알고 서로 좀 돕지만 다른 학년은 잘 모른다. 그냥 '어느 반에 힘든 아이들, 학부모가 있다더라, 힘들겠다.' 정도다. 최근 일어났던 선생님들의 가슴 아픈 일들 모두 학교 공동체가 문제를 공유하고 함께 해결책을 찾아보고 함께 대응했더라면 일어나지 않았을 일이었을 텐데 정말 안타깝다. 서로 좀 더 긴밀하게, 밀접하게 연결되어 있다면 서로가 서로에게 큰 힘이 되고 서로 발전할 수 있을 것이다.

나는 요즘 매일 만나는 학교의 선생님들보다 가끔 만나는 연구회의 선생님들로부터 더 많은, 깊은 영향을 받는다. 그분들은 학생들을 더 잘 지도하기 위해 자신들의 수업을 공개하신다. 수업 공개하신 한 선생님께서 좋은 수업이 아니라서 조금 부끄럽다고 하니 다른 선생님들께서 무슨 소리냐며 뭐라 하신다. 다른 이들의 수업을 보면서 자신의 수업을 돌아보시게 되어서 너무 좋다고 하시고 서로의 경험에서 나오는 조언을 통해 또 배울 수 있어서 좋다고 하신다.

출장비를 많이 챙겨주는 것도 아니고 수당을 주는 것도 아닌데 퇴근 후 피곤한 몸을 이끌고 연구회 모임에 오신다. 젊은 선생님도 있지만 대부분 경력이 꽤 되시는 분들이다. 퇴직을 앞두신 분도 있다. 학생들을 개별적으로 지도하면서 좋았던 자료도 공유하고 안 되었던 부분들도 나누어주신다. 그러면 연구회 선생님들이 자신들의 경험에 비추어 여러 제안을 해주신다. 교육청 파견교사인 두 선생님은 더 열정적이고 헌신적이다. 하나라도 더 알려주시고 도움을 주기 위해서 애쓰신다. 문해력이 부족해 힘들어하는 아이들을 안타까워하는 마음이 대단하다. 이분들은 무엇을 위해 이렇게 애를 쓰는 것일까? 아이들을 사랑하는 마음과 책임감일 것 같다. 연구회를 다녀오면 좀 더 우리 반에 나의 도움이 필요한 아이들을 위해 뭔가를 해야겠다는 생각이 좀 더 많이 든다.

우리 학교가 나에게 더 나은 환경이 되려면 어떤 변화가 있어야 할까?

먼저 아이들에게 가르쳐야 할 중요한 가치들, 역량들이 무엇이며 어떻게 가르치면 좋을지 방법들을 공유하고 이야기를 나누어야 한다. 지금까지 학교에서는 이런 것들을 서로 이야기하지 않았다. 가장 중요한 것인데, 이것이 출발점이 되어야 하는데 학교, 교육청, 교육부에서 정해주는 인간상을 1년에 한 번 쓱 지나가며 보는 게 전부였다.

또한 서로 수업을 공개하고 공유해야 한다. 우리가 수업을 서로 공개하지 않는 이유는 서로에 대한 신뢰가 부족해서일 것이다. 내 수업의 부족함을 보고 다른 이들이 자신을 무시하거나 안좋게 보면 어떻게 하나 하는 염려 때문일 것이다. 서로의 발전을 위해 수업을 공개하는 것이지 누구를 평가하기 위함이 아니라는 인식과 신뢰가 있어야 한다. 그리고 좋은 수업 방법을 공유해야 한다. 인디스쿨에서는 많은 선생님들이 자신의 수업자료를 공유한다. 댓글에는 그 수업자료를 좀더 발전시킨 사례를 또 공유한다. 서로가 그렇게 돕고 배우고 발전하게 된다.

그런데 수업을 공개, 공유하고 그 수업을 참관하고 서로 이야기를 나누려면 교사들에게 여유시간이 있어야 한다. 요즘 학교는 너무 바빠서 뭘 하자는 말을 꺼내기도, 듣는 것도 부담스럽다. 교육의 영역이 아닌 부분의 업무는 교사들에게서 제외해서 교사들이 가장 중요한 수업에 좀 더 신경 쓸 수 있도록 해야 한다.

그리고 학급에서 발생하는 심각한 문제를 그 학급, 한 교사의 일로 치부하지 말고 학교 구성원들과 공유하고 함께 대응해야 한다. 누구나 겪을 수 있는 일이고 그 교사가 아니었다면 내가 겪었을 일, 다음 해에는 누가 겪을지 알 수 없는 일이기 때문이다. 우리 학교에서는 그나마 2학기 중반부에 전교조 분회장님의 주도로 원하는 선생님들과 관리자들이 함께 모여 이런 일들에 관해 이야기하는 시간을 2번 가질 수 있었다. 학급에서 어려운 일이 생겼을 때 어떻게 대처하면 좋을 것인지, 관리자들은 어떻게 해주면 좋을지 등에 관해서 말이다. 아직 시작에 불과하고 아직 어떤 문제에 대한 대처를 직접 한 것은 아니지만 각자의 학급에서 문제가 발생했을 때 교사 개인이 감당하는 것이 아니라 학교가 함께 해준다는 것을 우리가 인지한다면 좀 더 마음 편하게 학급을 운영할 수 있을 것이다.

나는 어떤 변화를 이끌 수 있을까?

변화를 이끈다는 말은 참 부담스럽다. 소극적인 내가 변화를 막 일으키긴 쉽지 않겠지만 나비의 작은 날갯짓은 시도할 수 있기를 바란다. 내가 알고 있는 좋은 수업 방법을 선생님들께 공유하겠다. 내가 그나마 다른 선생님들보다 조금 더 알고 있는 한글 지도부분에 대해서 저학년 선생님들께 알려드리고 좋은 정보나 연수를 안내해 드리겠다.

만약 수업을 공개해야 한다고 하면, 음...먼저 나서진 않겠지만 할 사람이 없다고 하면 쭈뼛쭈뼛 손을 한 번 들어보겠다. 준비하는 과정에서 스트레스를 받겠지만 내가 배우고 다른 이들이 배울 수 있는 시간이라고 맘속으로 계속 되뇌면서 준비해 보겠다.

다른 학급의 선생님들께 내 학급의 상황을 공유하고 조언을 구하는 시도를 해보겠다. 또한 다른 학급의 어려움에 관심을 가지고 그 선생님께 작은 도움이 되도록 손을 내밀어보겠다.

내가 속한 곳이 아이들이 경험하기를 바라고 내가 속하기를 바라는 공동체가 될 수 있도록 작은 용기를 내고 조금 더 부지런히 움직여봐야겠다.

"변화를 이끈다는 말은
참 부담스럽다.
소극적인 내가 변화를
막 일으키긴 쉽지 않겠지만
나비의 작은 날갯짓은
시도할 수 있기를 바란다."

교사인 나를 둘러싼 환경은 어떠한가요?

당신은 이 글의 저자인 동시에 독자입니다. 저자인 나와 독자인 나는 만날 때마다 새로운 이야기를 만들어 갑니다. 지금 이 글을 읽는 당신의 생각을 여기에 더해보세요. 그것은 내 손을 떠난 글에 새로운 생명과 생기를 불어넣는 일입니다.

교사인 나를 둘러싼 환경은 어떠한가요?

B

우리를 둘러싼 환경을
고려하였을 때, 자신의 교육철학을
실현하기 위해 집중할 일 혹은
해결할 문제를 찾아봅니다.

교사로서
우리의 이야기를
어떻게 써 내려갈까요?

대화한 날_ 2023. 11. 15.

완성한 날_ 2023. 12. 4.

교사로서 우리의 이야기를 어떻게 써 내려갈까요?

나는 초등교사다. 경력이 20년이지만 아직 전문성이 많이 쌓인 것 같진 않다. 신규 시절엔 경력이 쌓이면 저절로 전문성도 쌓일 줄 알았는데...

나는 이 자리, 이곳을 떠나고 싶을 때가 많다. 하지만 떠날 것 같진 않다. 정말 진저리나는 사건이 발생하거나 교사 말고 내가 정말 하고 싶고 잘할 수 있는 무엇이 나타나기 전까지는 이 자리에 있을 것이다.

그렇다면... 나는 지금부터 교사로서 학교에서 어떻게 살아갈 것인가? 무엇을 할 수 있고, 무엇을 선택하며 무엇을 해야 할까? 지금까지처럼 충분히 준비하지 않은 채로 하루하루 수습하면서 정신없는 교사가 되고 싶지는 않다. 스스로 부족한 교사라는 생각을 하며 살고 싶지는 않다.

지금보다는 좀 더 전문성을 갖춘 교사, 삶의 여유가 있고 학교에서의 시간이 행복한 교사, 내 스스로 만족함이 있는 교사가 되고 싶다.

교사로서의 나

지난번 미래 교육이 어떠하여야 할 것인가에 대해 이야기 나누고 생각했을 때 건강한 내면을 갖도록 돕는 것, 그리고 기초 기본을 갖추는 것이 가장 중요하다고 생각했었다.

그래서 일단은 기초 기본을 아이들에게 잘 가르칠 수 있도록 수업 연구를 부지런히 할 것이다. 무엇보다 요즘 내가 관심 가지고 있는 문해력을 잘 갖춘 아이들이 되도록 부지런히 나 또한 배우고 아이들에게 가르쳐줄 것이다. 글쓰기, 독서를 중심 활동으로 두고 글쓰기와 독서를 통해 아이들이 자기 생각을 표현하고 다른 이들의 생각을 이해하며 서로 소통하고 배워나갈 수 있도록 도울 것이다. 배움의 즐거움을 아이들이 경험할 수 있도록 도울 것이다. 시행착오를 거치면서 나만의 노하우를 쌓아갈 것이다.

그리고 건강한 내면을 갖춘 아이들이 될 수 있도록 도울 것이다. 자신과 다른 아이들과 협력하며 살아가는 방법을 안내하고 경험해 보도록 할 것이다. 교사인 내가 모범이 되도록 말과 행동에 신중해야겠다. 나의 내면을 먼저 가꾸어야 한다. 지금보다 좀 더 여유롭고 편안한, 너그러운 교사가 되기 위해 노력해야겠다.

이것들을 내 개인의 노력으로는 다 채워나갈 수 없으니, 연수도 꾸준히 받고 연구회 같은 좋은 공동체에 참가하여서 다른 선생님들과 함께 배우고 성장할 것이다. 내가 알고 있고 내가 가진 것들을 꾸준히 나누어 내가 속한 공동체에 선한 기여를 할 것이다. 다른 이들 앞에 서는 것이 두려워 적극적으로 돕는 것을 늘 주저해 왔지만, 나의 선한 동기를 믿고 부족해도 한 발 내디뎌 볼 것이다. 늘 하던 대로만 하는 것이 아닌, 새로운 한발을 내디뎌서 내 삶의 재미를 더해줄 것이다.

인간 MH로서의 나

내가 바라는 교사의 삶을 살기 위해서 나는 변화해야 할 부분들이 몇 가지 있다.

먼저 시간 관리를 잘해야 한다.

학교에서는 교사, 가정에서는 엄마와 딸, 속해 있는 공동체에서는 또 다른 역할들이 주어져 있다. 이 여러 가지의 역할들을 잘 감당하기 위해서는 매일 우선순위를 잘 정해서 시간을 계획하고 실천해야하는데 나는 지금까지 그러지 못하고 되는대로, 닥치는 대로, 급한 대로 이 역할들을 감당해 왔다. 내 천성이 그러한 듯 하나 필요에 맞게 이 천성을 조금씩 바꿔가야 한다. 매일 아침, 혹은 매일 밤 다음날의 일과를 계획해서 기록하고 그것에 맞게 시간을 쓰도록 노력해봐야겠다. 일기 같은 내 삶의 기록을 통해서 내가 하는 것들을 점검해 나가야겠다. 그래서 조금씩 성장해 나가는 나를 확인하며 스스로를 지지하고 격려해 주어야겠다.

그리고 삶의 각 영역을 분리하도록 노력해야 한다.

학교에서는 가정에 대한 생각, 가정에서는 학교 생각을 자꾸 하게 되어 내 몸이 있는 곳에 온전히 집중하지 못할 때가 많다. 학교에서의 일은 학교에서 끝내고, 가정에서의 일은 출근하기 전까지 끝내서 내 몸이 있는 곳에서 온전히 충실히 시간을 보낼 수 있도록 해야겠다. 있는 곳에서 주어진 시간을 효율적으로 잘 사용하도록 노력해 봐야겠다.

마지막으로 무엇보다 건강해야겠다. 건강한 몸에 건강한 정신이 깃든다. 건강해야 뭐라도 할 수가 있다. 나이가 들어가니 정말 뼈저리게 느낀다.

교사로서 살아온 나의 시간. 참 길다. 정말 좋은 젊은 시절부터 몸담아 온 이곳 학교. 이곳에서의 삶이 즐겁지 않고 행복하지 않다면 내 인생을 돌아봤을 때 후회와 아쉬움이 너무 많을 것이다. 내 삶의 마지막에서 뒤를 돌아보았을 때 아쉬움이 적도록, 처음 교직에 대한 마음을 품었을 때 생각한 것처럼 보람 있었다, 나름 애쓰며 잘 살아왔다고 미소 지을 수 있도록 지금까지 보다는 조금 더 고민하고 성실하게 살아갔으면 좋겠다.

현재를 충실하게 살되 교직의 마지막을 생각하면서 살고 삶의 마지막을 생각하며 살자.

교사로서 우리의 이야기를 어떻게 써 내려갈까요?

"내 삶의 마지막에서
뒤를 돌아보았을 때
아쉬움이 적도록,
처음 교직에 대한 마음을
품었을 때 생각한 것처럼
보람 있었다,
나름 애쓰며 잘 살아왔다고
미소 지을 수 있도록
지금까지 보다는 조금 더
고민하고 성실하게
살아갔으면 좋겠다."

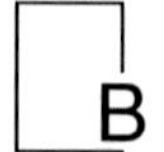

당신은 이 글의 저자인 동시에 독자입니다. 저자인 나와 독자인 나는 만날 때마다 새로운 이야기를 만들어 갑니다. 지금 이 글을 읽는 당신의 생각을 여기에 더해보세요. 그것은 내 손을 떠난 글에 새로운 생명과 생기를 불어넣는 일입니다.

교사로서 우리의 이야기를 어떻게 써 내려갈까요?

교사로서 우리의 이야기를 어떻게 써 내려갈까요?

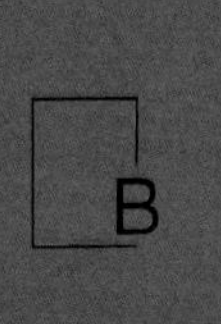

질문에 답하다

저자_ MH
발행_ 2023. 12. 25.

펴낸이_ 이상수
펴낸곳_ beside books
출판사등록_ 제561-2022-000043호(2022. 5. 17.)
주소_ 경기도 수원시 영통구 영통로200번길 21
전화_ 010-2853-2423
인스타그램_ instagram.com/beside.books
편집 / 디자인_ 서현지 이경준 정휘범

ISBN_ 979-11-92865-19-5

 본 책의 글꼴은 나눔스퀘어, 나눔스퀘어라운드, 윤대한, 윤민국, 아리따돋움, 서울한강체를 사용하였습니다.

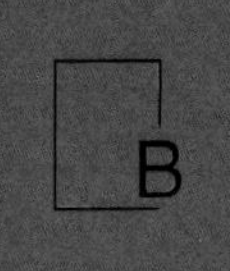

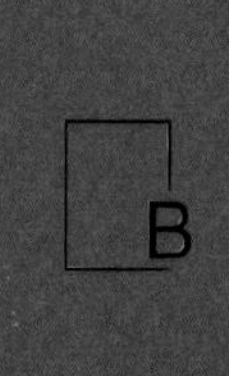